Anne Fine

Le chat assassin, le retour

Illustrations de Véronique Deiss
Traduit de l'anglais par Véronique Haïtse

Mouche
l'école des loisirs
11, rue de Sèvres, Paris 6ᵉ

Du même auteur à *l'école des loisirs*

Collection MOUCHE

Un ange à la récré
Assis ! Debout ! Couché !
Le jour où j'ai perdu mes poils
Journal d'un chat assassin
Louis le bavard
Radio Maman

Collection NEUF

Mauvais rêves
Un bon début dans la vie
Comment écrire comme un cochon
La crêpe des champs
Le jeu des sept familles
Ma mère est impossible

© 2006, l'école des loisirs, Paris, pour l'édition française
© 2003, Anne Fine
Titre de l'édition originale : *The Return of the Killer Cat*
(Penguin Books Ltd, London)
Loi n° 49.956 du 16 juillet 1949 sur les publications
destinées à la jeunesse : janvier 2006
Dépôt légal : janvier 2006
Imprimé en France par l'imprimerie Mame à Tours

1

Comment tout a commencé

D'accord, d'accord! Allez-y, donnez-moi une tape sur mes toutes petites pattes duveteuses.

C'est très grave!

Et encore d'accord! Tirez-moi la queue! La folle chevauchée criminelle d'un chat solitaire!

Qu'est-ce que vous allez faire ?

Me confisquer ma gamelle et me dire que je suis un très méchant compagnon?

Mais nous, les chats, nous ne sommes pas censés être là, comme les chiens, à faire exactement ce que l'on nous dit de faire, à vous regarder avec dévouement, tout en se demandant s'il est l'heure de vous apporter vos chaussons.

Nous vivons notre vie, voilà ce que nous faisons, nous les chats. Et j'aime vivre ma vie. Et une chose que je ne supporte pas, c'est de gaspiller les jours et les nuits où la famille est en vacances.

– Oh, Tuffy! pleurniche Ellie en m'écrasant le museau pour me dire au

revoir. (Je la regarde du coin de l'œil, calmement : Attention, Ellie, pas trop de câlins ou tu vas recevoir un coup de griffe en guise d'au revoir.)

— Oh, mon Tuffy, nous partons pour toute une semaine !

Une semaine ! Mot magique ! Une semaine entière à lézarder au soleil dans

les parterres de fleurs sans la mère d'Ellie qui me crie :

— Tuffy ! Sors de là ! Tu écrases toutes mes fleurs !

Une semaine à fainéanter sur la télé sans le père d'Ellie qui me harcèle :

— Tuffy ! Range ta queue ! Elle pend juste devant les poteaux du but !

Et surtout, le meilleur, une semaine sans être attrapé, installé dans le couffin des voisins, caressé et dorloté par Ellie et son amie, Mélanie la sentimentale :

— Oh, tu as de la chance, Ellie. J'aimerais tant avoir un petit animal comme Tuffy. Son poil est si doux.

Bien sûr que mon poil est doux. Je suis un chat.

Et je suis intelligent aussi. Suffisamment intelligent pour comprendre que ce n'est pas Mme Tanner qui va faire du maison-chat-sitting comme d'habitude…

– … Non, elle doit aller d'urgence chez sa sœur dans le Dorset… Alors, si vous connaissez quelqu'un qui pourrait… Seulement pour six jours… Eh bien, pourquoi pas… Vous êtes sûr, pasteur ? Si vous êtes à l'aise avec les chats…

On se moque de savoir si le pasteur est à l'aise avec les chats. C'est moi le chat ! C'est moi qui dois être à l'aise avec lui.

2

Doux, pas si doux foyer

Voilà M. Tout-est-toujours-impeccable-chez-moi !

— Pousse-toi de ces coussins, Tuffy. Je ne pense pas que se prélasser sur le canapé soit une occupation de chat.

Et qu'est-ce que je suis censé faire ? Passer un coup de balai ? Pianoter sur l'ordinateur dans la pièce d'à côté ? Bêcher le jardin ?

— Tuffy, arrête de te faire les griffes sur ce meuble.

Ohé! C'est la maison de qui ici? La sienne? Ou la mienne? Si je veux me faire les griffes sur les meubles, je me fais les griffes sur les meubles.

Et surtout, le pire:

— Non, Tuffy, je n'ouvrirai pas une nouvelle boîte tant que tu n'auras pas fini celle-ci.

Je jette un coup d'œil rapide à «celle-ci». Elle est dure. Elle est pleine de grumeaux. C'est la gamelle d'hier.

Et je ne la mangerai pas.

Je m'en vais. La dernière chose que j'entends, c'est le pasteur Barnham qui m'appelle:

— Reviens finir ton dîner!

Dans ses rêves! Je suis de sortie. Je retrouve ma bande, Tiger, Bella et Puss-kins, et je leur annonce que je n'ai pas dîné. Eux aussi ont faim. Alors, on s'installe sur le mur et on miaule pour savoir où aller dîner.

– Envie de poivrons sur les restes d'une pizza ?

– Du poisson sans les frites ?

– Un bout de steak ?

– Du bœuf sauté sans sauce soja ?

On opte pour du chinois. (J'adore leurs pattes de canard!) Tiger commence, sans se presser, une tournée des odeurs de l'allée, afin de trouver la bonne adresse. Et nous jouons à «Déchire les sacs». (Nous gagnons tous à ce jeu-là.) Voilà un dîner sur le mur fort agréable.

– Quel goût!

– Délicieux!

– Très bon choix. Voilà une famille où on n'a pas peur de gâcher la nourriture.

Tout le contraire de mon ami le pasteur. Le lendemain matin, il me représente ma gamelle toute sèche.

– Tuffy, je n'ouvrirai pas une nouvelle boîte. Si tu avais vraiment faim, tu mangerais ce que je te présente.

Ah bon, je mangerai. Je ne crois pas.

Pendant qu'il attend que je me décide à manger, il jette un coup d'œil par la fenêtre.

– Regarde-moi ce désordre dans le jardin! Des papiers d'emballage gras! Des boîtes en carton de nourriture à emporter! Et ces affreux miaulements qui m'ont tenu éveillé jusqu'au petit matin. Ce soir, tu es privé de sortie.

Je suis peut-être sourd aux remarques continuelles, mais j'ai des oreilles. Merci de me prévenir, pasteur! Je me faufile à l'étage et je tapote le loquet de la petite fenêtre de la salle de bains jusqu'à ce qu'il soit exactement comme je veux : suffisamment baissé pour avoir l'air fermé comme hier et suffisamment relevé pour que, d'un seul coup de patte, je puisse ouvrir la fenêtre.

Et, pour le désordre dans le jardin, pas touche, c'est mon petit déjeuner.

3
Grosse erreur!

D'accord, d'accord! Je l'avoue, ce n'est pas très sympathique d'avoir organisé notre radio crochet juste sous la fenêtre du pasteur. Bella nous a interprété «Si beau-ooooo rêveur»; Tiger «En route pour la Nouvelle-Orléans-aaaaaaans». Pusskins, a choisi une chanson tyrolienne. Et moi, j'ai présenté ma merveilleuse imitation d'Ellie-se-coinçant-les-doigts-dans-la-portière-de-la-voiture.

Mais bon, rien qui justifie que le pasteur se mette dans un tel état.

— Si je vous attrape, je vous transforme en chair à saucisse !

Je ne suis pas rentré de bonne heure. Mais tout le monde a besoin d'un peu de repos, donc j'ai fini par laisser les gars et je suis rentré. Un petit matin magnifique. La seule ombre au tableau : lui. Trois rues avant d'arriver, je l'entends.

— Tuffyyyyy ! Tuffyyyyyyyyy !

Je me faufile à l'ombre de la haie des voisins. Mélanie pointe son nez pardessus la haie.

— Excusez-moi, pasteur Barnham, est-ce que ça marche, la prière ?

Il la dévisage comme si elle lui avait demandé : est-ce que les trains mangent de la crème renversée ?

Mélanie insiste.

— Vous dites toujours : et maintenant prions. Eh bien, est-ce que ça marche ?

— Est-ce que ça marche ?

— Oui, est-ce que les gens, en échange de leur prière, reçoivent quelque chose ? Si je prie très très très fort pour quelque chose, est-ce que je vais l'avoir ?

— Quel genre de chose ? interroge le suspicieux pasteur.

Mélanie joint ses mains.

— Un petit animal rien que pour moi, à cajoler. Un petit animal, à poils, doux et chaud, comme Tuffy qui se faufile de votre côté de la haie.

Merci Mélanie ! Je déguerpis. Il me poursuit. Et, au lieu de sauter sur le pommier, comme je fais tout le temps, je bondis sur la poignée de la tondeuse à gazon, et je grimpe dans le poirier.

Et quand vous arrivez au sommet, deux choix s'offrent à vous…

1. Vous pouvez sauter depuis la plus haute branche, à travers la petite fenêtre fermée de la salle de bains. (Ouh ! Ouh ! Ma meilleure issue de secours a été repérée !)

2. Vous pouvez redescendre, sauter depuis la branche la plus basse sur la poignée de la tondeuse, et puis dans l'herbe.

Mais mon saut de l'ange a renversé la tondeuse, et cette solution doit aussi être abandonnée.

4

Coincé dans mon arbre !

Je dois le reconnaître : il a tout essayé.
Les gouzis gouzis. Les cajoleries. Les
câlineries. (Vous me direz qu'il n'y a pas
beaucoup de différence entre cajoleries
et câlineries, c'est vrai, mais câlineries
est plus geignard.)

Les menaces.

— Tu vas rater ton dîner, Tuffy. (Je
tremble ! Vu ce qu'il m'offre pour le
dîner !)

Et puis la méchanceté.

– Tu peux rester pourrir sur ton arbre, Tuffy! (Charmant!)

Je ne joue pas la comédie, je suis complètement coincé. Je n'ai pas décidé de passer la moitié de la matinée, coincé sur l'arbre, à écouter d'un côté le pasteur ronchonner et ronchonner…

– Tuffy, descends tout de suite, immédiatement!

… et de l'autre Mélanie à genoux, les mains jointes, les yeux fermés, prier et prier…

– S'il vous plaît, apportez-moi quelque chose à poils, doux comme le Tuffy d'à côté, à mettre dans mon couffin, à câliner. Je lui donnerai mon coussin le plus confortable pour qu'il dorme dessus, et je lui donnerai du thon frais et de la crème pour dîner.

Du thon frais! De la crème! Est-ce que la petite Mélanie sait que j'ai sauté le petit déjeuner?

C'est un supplice de l'écouter. Je repars de l'autre côté de l'arbre. (Qui m'en voudrait?)

Le pasteur aussi a faim. Il abandonne les menaces et rentre se préparer un petit déjeuner. (Pas des restes d'hier pour lui, je le note. Une odeur de saucisses et de bacon.)

On dit que le petit déjeuner, c'est bon pour le cerveau. Effectivement, son petit déjeuner a augmenté sa matière grise. Le voilà de retour dans le jardin, un tabouret sous le bras. Il grimpe dessus. Mais il ne peut toujours pas m'atteindre. Je ne fais pas le difficile. Je veux vraiment descendre. S'il arrive à

monter assez haut, je suis même prêt à sauter dans ses bras. (Je le grifferai peut-être un peu au passage, mais bon, les chats sont connus pour leur ingratitude!)

J'essaye de l'aider de mon mieux. J'avance vers lui, le long de la branche. Mais la branche s'affaisse. (Ah, les régimes! Pas toujours facile de s'y tenir!) Et, plus j'avance, plus la branche est mince. Je la sens plier sous mon poids, j'ai l'impression d'être sur une piste de ski.

Je n'ose pas aller plus loin.

Il me semble que voir la branche plier sous mon poids a donné une idée au pasteur…

5
Génie !

Il disparaît dans le garage, trouve une longue corde et revient sous mon arbre. Le voilà sur un tabouret. Il envoie la corde autour de ma branche.

– Bon, bon, dit-il d'un air sévère, un nœud coulant !

Je miaule. Est-ce qu'il pense à me pendre ? Ce n'est pas souvent que je regrette de ne pas savoir parler, mais à cet instant précis, je voudrais pouvoir me précipiter vers Mélanie et lui faire une suggestion : eh, mon petit. Arrête immédiatement tes prières pour ton truc doux et câlin, et téléphone à la police. Le pasteur essaye de me tuer !

Il marmonne tout en faisant son nœud coulant.

– Une boucle et je passe ma corde, une boucle et je repasse ma corde.

(Je miaule encore et encore.)

Il tire sur son nœud, bien serré, il tire sur la corde. J'enfonce mes griffes dans la branche. La branche descend vers lui, mais pas assez bas. Il ne peut toujours pas m'attraper.

Il essaye encore une fois. La branche s'affaisse encore un peu. (Je suis à deux doigts de tomber.) Mais ce n'est toujours pas assez bas.

– Saute ! Mais saute les derniers centimètres, Tuffy !

Je lui lance un regard noir.

– Poule mouillée !

D'accord, d'accord !

Je lui crache dessus. Vous ne m'approuvez pas ? Il m'a traité de poule mouillée ! C'est comme s'il m'avait dit :

— Vas-y, Tuffy, crache-moi dans l'œil!

Alors, c'est ce que j'ai fait.

Il me lance un regard noir.

Et là – oh, j'en ai la chair de poule! –, le regard noir se transforme en sourire.

— Ah! Ah! dit-il.

Laissez-moi vous dire que les gens qui ne vous aiment pas vraiment ne devraient pas vous dire «Ah! Ah!». Ceux qui ne se sentent pas vraiment aimés se sentent tout à coup très inquiets.

Surtout quand ils sont coincés dans un arbre.

— Ah! Ah! dit-il en se précipitant vers le garage.

Et il en ressort au volant de la voiture. Pendant un instant, un instant à vous glacer le sang, je pense qu'il va abattre mon arbre. Mais il s'arrête et descend de voiture.

Il attache l'autre extrémité de la corde sur le pare-chocs arrière.

— Parfait ! dit-il en admirant son bricolage. Je pense que c'est suffisamment solide pour que la branche touche le sol.

J'arrête mes miaulements plaintifs. Tout à coup, surgit l'espoir de descendre de cet arbre avant mes vieilles années.

Pour être honnête, je trouve son plan de sauvetage brillant.

Cet homme est un génie. Je suis impressionné.

6

Ce que je peux être bête!

Ce que je peux être bête! Ne vous méprenez pas. Le plan a très bien fonctionné, dans un premier temps. Hou! Peuh! Il est remonté dans la voiture, a mis le contact, et s'est éloigné de l'arbre à zéro kilomètre heure.

Tout doucement.

Tout doucement.

Jusqu'à ce que la corde soit tendue. La branche s'affaisse comme de bien entendu.

Plus bas.

Plus bas.

Jusqu'à ce que mon retour sur la terre ferme ne soit plus qu'une petite promenade.

– Parfait ! Je peux y arriver. Saucisses oubliées et couennes de bacon, me voilà !

Je débute ma descente.

À petits pas.

À petits pas.

Jusqu'à ce que son pied glisse sur la pédale.

La voiture fait un bond en avant. La corde se brise net. La branche se transforme en une catapulte-feuillue-géante et moi, en chat-volant.

Waaaaooouuuu ! Admirez le spectacle ! Un arc de cercle parfait au-dessus de la cime de l'arbre. (Je n'ai pas tellement envie de recommencer, mais laissez-moi vous dire que la vue de là-haut est spectaculaire. Époustouflante ! Vous voyez aussi loin que les usines à gaz.)

Mais après, forcément, la seule issue, c'est… *tomber.*

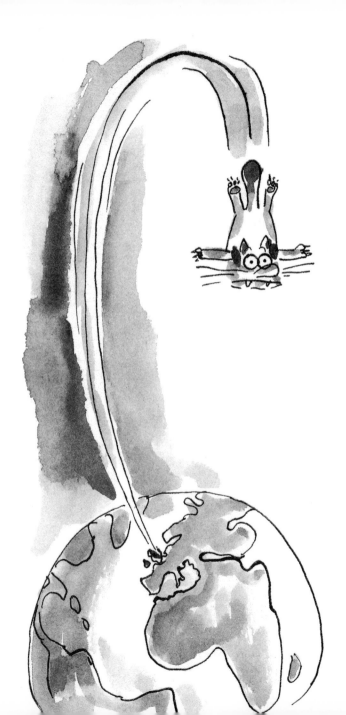

7
Splash !

Splash !

Directement dans le couffin en osier de Mélanie.

D'accord, d'accord ! Il n'y a pas de quoi sortir vos mouchoirs ! Oui, j'ai écrasé quelques petites bêtes que l'on n'a pas si envie que ça de caresser, qui donnent plutôt la chair de poule. D'ailleurs, je n'ai pas fini d'enlever tous les cadavres de mes poils. Et puis, je ne vois pas comment toutes ces fourmis

auraient eu le temps de s'échapper du coussin.

Le bruit de mon atterrissage sort Mélanie de sa prière.

Elle ouvre les yeux, elle me voit dans son panier, elle est au paradis.

— Oh, merci, merci, dit Mlle Stupide et Sentimentale. Merci de m'avoir envoyé exactement ce que je voulais, quelque chose à la douce fourrure que je peux câliner, exactement comme Tuffy.

Exactement comme Tuffy?

Qu'est-ce qu'elle croit? Que j'arrive tout droit du paradis? Est-ce que cette fille est un peu dérangée?

Mais bon. Ne soyons pas méchant avec Mélanie. J'aurais pu tomber dans un endroit beaucoup moins hospitalier que son petit couffin avec coussin.

Elle me conduit chez elle et tient ses promesses. Crème ! Thon. (Et vous pensiez que j'allais m'éclipser vers ma maison pour retrouver quelques boulettes vieilles de trois jours ?)

Elle s'assoit, me caresse et me cherche un nom.

— Minet-minou ?

Si tu veux que je vomisse sur ton coussin à chaque fois que tu prononceras mon nom, continue comme ça.

— Mon petit-bébé-à-croquer ?

Vas-y. Et je te griffe, fort.

— J'ai trouvé. Je vais t'appeler Jeannette.

Jeannette ? Elle vient de quelle planète ? Premièrement, je suis un garçon. Deuxièmement, est-ce que j'ai déjà — est-ce que vous avez déjà — entendu quelqu'un, quelque part, appeler son chat Jeannette ?

Après tout, la crème est fraîche. Le thon délicieux.

Jeannette ne bouge plus. Jeannette est au chaud, bien nourrie, bien installée.

Jeannette s'installe.

8

Gentil petit minou

Allez-y ! Ricanez ! Je ne ressemble plus du tout à un chat avec ce bonnet en dentelle. La chemise de nuit de poupée est trop grande pour moi. Qu'est-ce que vous allez faire ? Me décerner le prix du chat le moins bien habillé ?

J'aime être Jeannette. Les repas sont au nombre de trois par jour. (Trois fois par jour ! Cette chemise de nuit m'ira parfaitement bien la semaine prochaine.) Petits morceaux de steak, de haddock, de poulet bien maigre ou de saucisses. Imaginez ce que vous aimez manger le plus au monde, et imaginez des petits doigts qui vous donnent à manger, petite bouchée par petite bouchée, et là vous comprendrez pourquoi je me suis installé.

La seule ombre au tableau, ce sont les cris incessants du jardin d'à côté.

– Tuffy, Tuffyyyy ! Où es-tu ?

Mélanie me dépose gentiment dans mon panier en osier, se dresse sur la pointe des pieds et regarde de l'autre côté de la haie.

– Le pasteur continue de chercher, m'informe-t-elle tristement. Pauvre Tuffy ! Il a disparu. J'espère qu'il a trouvé un endroit confortable, au sec, et qu'il est bien nourri.

Je ronronne.

Elle se retourne vers moi.

— Oh, Jeannette ! Je suis si contente que tu sois là !

Elle me serre très fort, je lui adresse un petit miaulement préventif. Pas très prudent de faire ça sous le nez de quelqu'un qui cherche un chat.

La tête du pasteur apparaît.

— Tu l'as trouvé ?

Je reste très sage dans mon panier.

Mélanie est très gentille, mais pas très intelligente.

— De qui parlez-vous ?

— De Tuffy !

— Non, c'est mon chat qui vient de miauler. Jeannette.

– Jeannette ?

– C'est un cadeau.

Je suis bien content qu'elle n'ait pas dit : c'est un cadeau du ciel. Le pasteur aurait trouvé cela plus que suspect. Déjà qu'il me dévisage…

Démasqué ! Je minaude dans le panier.

La chemise de nuit et le bonnet le déroutent un peu. Mais il insiste.

— Il ressemble beaucoup à Tuffy, ton chat.

Je ronronne très amicalement.

— Mais ce n'est pas Tuffy ! Tuffy ne ronronne jamais.

(Pas en ta présence, ça c'est sûr, mon pote !)

Les yeux du pasteur s'éclairent.

— Tu permets que je fasse juste un petit test pour que l'on soit bien sûr que ce n'est pas Tuffy ?

Il franchit la grille et m'attrape.

Un test ? Une épreuve plutôt !

Certains doivent marcher sur des pierres brûlantes.

D'autres sont envoyés sept ans en voyage.

D'autres encore doivent partir faire fortune.

Et même certains tuent des dragons et doivent trouver le Saint-Graal.

Mais personne n'a subi une telle épreuve.

Il me sort du panier.

Il me tient en l'air.

Il me regarde droit dans les yeux. (Je ne sourcille pas.)

Il dit :

— Jolie minette ! Mignonne, si mignonne minette !

Il dit encore :

— Si gentille petite minette !

Il conclut :

— Une très jolie et intelligente petite chatte, donc ?

Et ma seule réponse : un ronron.

Il me repose dans mon panier.

– Tu as raison, Mélanie, ce n'est pas Tuffy. Je me demande comment j'ai pu penser une seule seconde que c'était Tuffy.

Ouf!

Encore un peu de crème. Encore un peu de thon. Je suis prêt.

9

Avoir du flair

Reconnaissez-le, soyez honnête! Vous non plus vous ne seriez pas rentré chez vous. Vous seriez resté, une semaine, comme moi, à vous faire dorloter, à devenir de plus en plus gros.

Le samedi soir, me voilà aussi gros qu'une barrique. Les coutures de la chemise de nuit cèdent par endroits. Je suis boudiné dans ma chemise de nuit.

Et c'est le moment que choisit la bande pour me rendre visite.

Ils jettent un coup d'œil dans mon panier.

— Tuffy ? Tuffy, c'est toi ?

Je suis gêné. Je déforme ma voix.

— Non, je suis Jeannette, la cousine de Tuffy.

Bella se penche sur mes bourrelets.

— Et qu'est-il arrivé à Tuffy ? Tu l'as mangé ?

Je leur jette un regard noir.

— Non.

– Alors, où est-il ?

Je hausse les épaules. Le mouvement le plus énergique de la semaine. Les coutures de ma chemise de nuit lâchent, et mes bourrelets se répandent…

– Tu nous fais un strip-tease ? demande Pusskins. Et il ajoute un très familier : gros lard !

Il donne le signal de départ aux autres :

– Grosse bouboule à poils !

– Gros plein de soupe !

Je fronce les sourcils. J'émets un tout petit son. Vraiment très petit. Plus tard, tout le monde s'accordera à dire que c'est justement ce son qui a tout déclenché.

Je ne suis pas d'accord. Ce n'était même pas un sifflement. Juste un ronron.

J'accuse plutôt Bella. La petite tape était de trop.

— Allons-y, les gars, amusons-nous un peu avec cette grosse boule de poils en attendant le retour de Tuffy !

Alors je la tape vigoureusement.

Elle me tape vigoureusement.

Et le grand combat démarre.

Une grande agitation, un grand désordre de poils, un grand vol de morceaux de chemise de nuit. À un moment, le lacet du bonnet manque de m'étrangler. Je me tortille, je me dégage, et j'attaque les trois à la fois.

Et puis, soudain, en voyant mon déguisement en lambeaux sur la pelouse, tout le monde comprend.

— Eh, les gars, c'est Tuffy ! C'est notre Tuffy !

– Oh, Tuf, te revoilà !

– Tu es de retour !

Et c'est aussi le moment choisi par
Mélanie pour m'apporter mon troi-
sième repas de la journée.

Les gars reculent, avec respect.

– De la crème fraîche, soupire Bella.

– Du vrai thon, chuchote Tiger.

– Beaucoup de thon, dit Pusskins.

Mélanie ne dépose pas le plateau
comme à son habitude.

– Tuffy, me dit-elle sévèrement.
Qu'est-ce que tu as fait à Jeannette ?

J'essaye de prendre mon air le plus
Jeannette possible, mais sans le bonnet
et la chemise de nuit, ça ne marche pas.

Mélanie regarde autour d'elle. Et
j'admets que, si vous espériez retrouver
votre chat bien-aimé, le spectacle est un

peu inquiétant. Des touffes de poils, des bouts de chemise de nuit, partout.

– Oh, Tuffy, Tuffy, tu es un très très vilain chat. Tu as découpé Jeannette en morceaux et tu l'as mangée ! Tu es un monstre !

Les autres tournent les talons, disparaissent et me laissent seul.

– Tu n'es qu'un monstre, Tuffy ! Un monstre ! Un horrible monstre !

10

Et comment tout s'est terminé

Nous en sommes là quand la voiture apparaît dans l'allée. La famille est de retour.

— Tuffyyyyy! crie Ellie en m'apercevant de l'autre côté de la haie. Elle m'accueille avec des cris de joie. Mon Tuffyyyy!

Elle aperçoit Mélanie, les yeux pleins de larmes.

— Qu'est-ce qui se passe ?

— Ton chat devrait être en prison,

hurle Mélanie. Ton chat n'est pas un chat. Ton chat est un porc ! Ton chat est un monstre ! Ton chat est un assassin !

Je me retourne, je prends mon air le plus doux, le plus Jeannette.

Ellie ouvre de grands yeux. Elle prend son air sévère, ses yeux se remplissent de larmes.

— Oh, Tuffy, murmure-t-elle, horrifiée. Qu'est-ce que tu as fait ?

Voilà qui me plaît ! Très gentil ! Est-ce que les membres d'une même famille ne sont pas censés prendre soin les uns des autres ? C'est charmant de la part d'Ellie de croire tout de suite le pire, juste parce que sa meilleure amie inonde de ses larmes la pelouse et que quelques bouts de chemise de nuit traînent à droite et à gauche.

J'ai fière allure, je vous le dis. Je fais une sortie remarquée, la tête haute, la queue en l'air… Mauvaise pioche, droit dans les bras du pasteur!

— Je te tiens!

Il m'empoigne avant même que je le remarque derrière le poirier.

— Je t'ai eu!

Et, à cet instant, la mère d'Ellie qui remonte l'allée découvre le pasteur me tenant d'une façon dont un ami des chats ne tiendrait jamais un chat.

Me regardant d'un air qu'aucun ami des chats ne prendrait pour regarder un chat.

Me disant des choses qui, à mon humble avis, ne devraient jamais sortir de la bouche d'un pasteur.

Jamais.

Jamais on ne lui redemandera de faire du chat-sitting.

Cela fait de la peine à quelqu'un ?

Non. Je sais que non.

Au revoir !